FOLIO CADET

Traduit de l'anglais
par Marie Saint-Dizier

Maquette : Karine Benoit

ISBN : 2-07-053878-8
Titre original : *The Minpins*
Édition originale publiée par Jonathan Cape Ltd, Londres
© Roald Dahl Nominee Ltd., 1991, pour le texte
© Patrick Benson, 1991, pour les illustrations
© Éditions Gallimard Jeunesse, 1991, pour la traduction française
N° d'édition : 127907
Loi n° 49-956 du 16 juillet 1949 sur les publications destinées à la jeunesse
Premier dépôt légal : septembre 1993
Dépôt légal : octobre 2003
Imprimé en France par I.M.E

Roald Dahl

Les Minuscules

illustré par Patrick Benson

GALLIMARD JEUNESSE

Pour Ophélia

La mère de Petit Louis lui disait toujours ce qu'il devait faire et ce qu'il ne devait pas faire. Tout ce qu'il devait faire était ennuyeux. Tout ce qu'il ne devait pas faire était excitant.

L'une des choses qu'il ne devait *absolument jamais faire* (la plus excitante de toutes), c'était de pousser tout seul la porte du jardin et d'explorer le monde du dehors.

Un après-midi d'été ensoleillé, Petit Louis, à genoux sur une chaise dans la salle à manger, contemplait par la fenêtre ouverte le merveilleux monde du dehors.

De temps en temps sa mère lui criait :

– Qu'est-ce que tu fabriques, Petit Louis ?

Et Petit Louis répondait toujours :

– Je suis sage, maman.

Mais Petit Louis était fatigué d'être sage. Par la fenêtre, pas très loin, il pouvait voir le grand bois sombre et secret que l'on appelait Forêt Interdite.

Sa mère lui avait dit que même les grandes personnes avaient peur d'y pénétrer. Elle lui récitait un poème bien connu dans la région :

Interdite, interdite, la forêt,
Facile d'y entrer,
Impossible d'en sortir.

– Pourquoi ne peut-on pas en sortir ? interrogeait Petit Louis. Que se passe-t-il dans le bois ?

– Ce bois, lui disait sa mère, est rempli de bêtes sauvages assoiffées de sang !

– Des tigres et des lions ? demandait Petit Louis.

– Bien pire !

– Qu'est-ce qui est pire que les tigres et les lions, maman ?

– Les Griffomings, répondait sa mère, ainsi que les Écornouflons, les Tarloubards et les Kpoux Vermicieux. Mais le pire de tous, c'est l'Horrifiant Engoulesang Casse-Moloch Écrase-Roc. Il y en a un dans la forêt.

– Un Engoulesang, maman ?

– Exactement. Quand il poursuit quelqu'un, des nuages de fumée jaillissent de ses naseaux.

– Est-ce qu'il me mangerait ? demandait Petit Louis.

– D'une bouchée, répondait sa mère.

Petit Louis n'en croyait pas un mot. Selon lui, sa mère avait inventé cette histoire pour l'effrayer et l'empêcher de sortir de la maison tout seul.

A présent, agenouillé sur une chaise, Petit Louis contemplait par la fenêtre cette fameuse Forêt Interdite où il brûlait d'aller.

– Petit Louis, cria sa mère. Que fais-tu ?

– Je suis sage, maman, répondait Petit Louis.

Soudain, une drôle de chose arriva. Petit Louis entendit une voix qui chuchotait à son oreille. Il savait bien de qui il s'agissait. C'était le Diable. Cela arrivait toujours quand Petit Louis s'ennuyait.

– Ce serait si facile de sortir en escaladant la fenêtre, chuchotait le Diable. Personne ne t'apercevrait. En un clin d'œil, tu te trouverais dans le jardin, puis devant la porte d'entrée et dans la Merveilleuse Forêt Interdite que tu explorerais tout seul. C'est un endroit fabuleux. Et on n'y trouve pas de Griffomings, d'Écornouflons, de Tarloubards, de Kpoux Vermicieux, ni d'Horrifiant Engoulesang Casse-Moloch Écrase-Roc.

— Et qu'y a-t-il donc ? murmura Petit Louis.

— Des fraises sauvages, lui répondit le Diable à mi-voix. Tout le sol de la forêt est tapissé de fraises sauvages vermeilles, savoureuses, juteuses. Va voir toi-même.

Tels furent les mots que le Diable chuchota à l'oreille de Petit Louis, par cet après-midi d'été ensoleillé. Un instant plus tard, Petit Louis sortait en escaladant la fenêtre. En un clin d'œil, il atterrit en douceur sur le parterre de fleurs. En un clin d'œil, il poussa la porte d'entrée. Et, en un clin d'œil, il se trouva à la lisière de la grande et sombre Forêt Interdite. Il avait réussi ! Maintenant, la forêt était toute à lui pour qu'il l'explore.

Se sentait-il inquiet ?

Comment ?

Qui venait de parler d'inquiétude ?

Les Écornouflons ? Les Kpoux Vermicieux ? Qui lui avait joué ce mauvais tour ?

Petit Louis hésita.

— Je ne suis pas inquiet, assura-t-il. Pas du tout. Jamais de la vie.

Il s'enfonça très lentement dans la grande forêt. Bientôt, de tous les côtés, des arbres géants l'entouraient et, au-dessus de lui, leurs branches formaient presque une voûte, cachant le ciel.

Çà et là, de petits rayons de soleil brillaient à travers le feuillage. Tout était silencieux comme dans une immense cathédrale vide. Quand il se fut aventuré un peu plus loin, Petit Louis s'arrêta. Immobile, il écoutait. Il n'entendait rien. Rien du tout. Le silence était absolu. Vraiment ? Qu'était-ce donc ?

Petit Louis tourna vivement la tête pour fixer les lugubres ténèbres de la forêt.

Encore ! Cette fois-ci, il n'y avait pas d'erreur. On entendait au loin un faible bruissement, comme une petite rafale de vent soufflant à travers les branches. Le bruit s'amplifiait, soudain bruissant, sifflant, raclant et renâclant, en un mot,

terrifiant, comme si quelque créature gigantesque galopait vers lui, haletante. Petit
Louis s'enfuit. Petit Louis n'avait jamais
couru aussi vite de sa vie. Mais le bruissement sifflant, raclant et renâclant le poursuivait, de plus en plus fort. Ce qui signifiait
que la chose qui produisait ce bruit, la créature galopante, se rapprochait… prête à le
rattraper !

Cours, Petit Louis, cours !

Il contourna de larges arbres, sauta par-
dessus des racines et des ronces, se baissa
pour filer sous les buissons et les ramures.
Il courait comme s'il
avait des ailes. Mais le
bruissement sifflant,
raclant et renâclant, de
plus en plus bruyant,
se rapprochait tou-
jours. Petit Louis jeta
un regard derrière lui.

Ce qu'il aperçut au loin lui glaça le sang. Deux énormes boules rouge orangé roulaient vers lui. SHWAOUSH ! VRAOUSH ! « Ça vient sans doute des naseaux de la bête qui m'a reniflé », se dit Petit Louis. Le poème de sa mère s'égrenait dans sa tête :

Interdite, interdite, la forêt,
Facile d'y entrer,
Impossible d'en sortir.

– C'est sûrement l'Engoulesang ! cria l'enfant. Maman m'a dit qu'il crachait de la fumée quand il poursuivait quelqu'un. C'est l'Horrifiant Engoulesang Casse-Moloch Écrase-Roc ! Il va m'attraper, me sucer le sang, me casser le moloch, m'écraser le roc et me tailler en petits morceaux, et puis il me recrachera comme de la fumée et ce sera fini de moi !

Petit Louis courait à la vitesse de l'éclair mais, chaque fois qu'il se retournait, les nuages de fumée rouge orangé se rappro-

chaient. Maintenant, il les sentait souffler sur son cou. Et quel vacarme !

Un halètement bruissant, sifflant, assourdissant ! WAOUSH ! WAOUSH ! WAOUSH ! WAOUSH ! Comme une locomotive à vapeur qui s'arrête dans une gare.

Soudain, il entendit un autre bruit encore plus terrifiant. Un galop de sabots géants martelait le sol de la forêt ! Il se retourna mais la Chose, la Bête, le Monstre était caché par la fumée qu'il crachait. Il était cerné par des tourbillons de fumée brûlante. Il sentait l'haleine répugnante et putride.

– Maman ! cria-t-il. Sauve-moi !

Il aperçut, juste en face de lui, le tronc d'un arbre énorme avec des branches basses. Il prit son élan, sauta sur la branche la plus basse et s'y accrocha.

Puis il saisit une branche un peu plus haute et se hissa dessus. Il grimpa de plus en plus haut, fuyant le terrible monstre raclant, renâclant, jusqu'à ce qu'il s'arrête, épuisé.

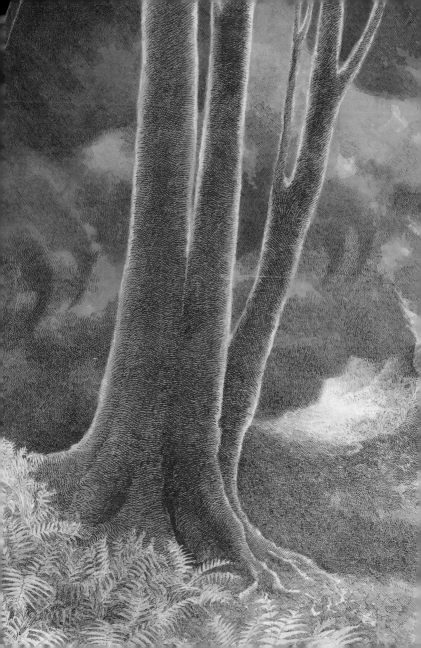

En levant les yeux, il n'apercevait toujours pas la cime de cet arbre géant qui semblait interminable. Il ne pouvait même plus voir le sol.

Il se trouvait dans un monde de feuillage touffu et de branches lisses, loin de la terre et du ciel. Le monstre raclant, renâclant, était à des kilomètres de là. On ne l'entendait plus.

Petit Louis trouva un endroit confortable, sur une fourche, et il s'assit pour se reposer. En tout cas, pour le moment, il était en sécurité.

Alors, une chose étrange se produisit. Près de Petit Louis, il y avait une énorme branche sur laquelle un petit bout d'écorce, pas plus gros qu'un timbre-poste, bougeait. Il se fendait par le milieu et les deux moitiés se déplaçaient lentement sur le côté, comme les volets d'une minuscule fenêtre.

Petit Louis fixait ce phénomène extraordinaire, envahi par un curieux sentiment de malaise. Il avait l'impression que l'arbre sur lequel il était perché et le feuillage alentour faisaient partie d'un autre monde qu'il n'avait pas le droit de pénétrer. Les minuscules volets s'ouvraient de plus en plus, révélant une petite fenêtre carrée installée

avec soin dans la courbe de la branche. A cette fenêtre, où brillait une lueur jaunâtre, Petit Louis aperçut un visage minuscule ; il avait surgi brusquement de nulle part.

C'était la figure d'un très vieil homme à cheveux blancs. Petit Louis l'apercevait nettement, bien qu'elle ne fût pas plus grosse qu'un pois. Le petit être fixait l'enfant avec une expression de grande sévérité. Sa peau était profondément ridée mais ses yeux brillaient comme des étoiles.

Un événement encore plus singulier survint. Tout autour de lui, sur le tronc de l'arbre et sur les branches, d'autres minuscules fenêtres s'ouvraient, révélant des petits visages attentifs. Il y avait des hommes, des femmes et quelques enfants dont la tête n'était pas plus grosse qu'une tête d'allumette.

A la fin, vingt fenêtres s'étaient ouvertes tout autour de l'endroit où se trouvait Petit Louis et, à chacune d'elles, un étonnant petit visage l'observait en silence, comme un fantôme.

Le très vieil homme sembla dire quelque chose, mais dans un si doux murmure que Petit Louis dut se pencher pour l'entendre.

– Tu es bloqué, disait la voix.

Tu ne peux pas descendre sous peine d'être mangé et tu ne peux pas rester ici toute ta vie.

– Je sais, je sais, bredouilla Petit Louis.

– Ne crie pas, dit le petit homme.

– Je ne crie pas, rétorqua Petit Louis.

– Parle plus doucement, murmura le petit homme, sinon, je risque de m'envoler.

– Mais… mais… qui êtes-vous ? demanda Petit Louis en s'efforçant de parler doucement, cette fois-ci.

– Nous sommes les Minuscules, répondit le petit homme. Cette forêt nous appartient. Je vais m'approcher, ainsi, tu m'entendras mieux.

Il sortit en escaladant la fenêtre, descendit par sa branche, regrimpa par une autre… C'était stupéfiant de le voir marcher en équilibre sur ces branches presque verticales sans le moindre problème, comme quelqu'un qui se promènerait sur le mur. Enfin, il s'installa à proximité de Petit Louis.

– Comment diable faites-vous donc ? interrogea l'enfant.

– Grâce à mes bottes ventouses, répondit le Minuscule. Nous en avons tous. Sans elles, nous ne pourrions pas vivre dans les arbres.

Il portait aux pieds des bottes vertes qui ressemblaient à de petites Wellington. Ses habits brun et noir étaient curieusement démodés, comme s'ils dataient de deux ou trois siècles. Soudain, les autres Minuscules, hommes, femmes, enfants, sautèrent de leurs fenêtres et se dirigèrent vers Petit Louis ; certains marchaient sous les branches, tête à l'envers. Tous étaient vêtus des mêmes habits démodés et plusieurs portaient des chapeaux bizarres ou des bonnets. Ils s'assirent en groupe autour de Petit Louis, en le dévisageant comme s'il était un extraterrestre.

– Vivez-vous vraiment tous à l'intérieur de cet arbre ? demanda Petit Louis.

– Tous les arbres de cette forêt sont creux, répondit le vieux Minuscule. Tous. A l'intérieur vivent des milliers et des milliers de Minuscules. On trouve des pièces et des escaliers non seulement dans le tronc mais aussi dans la plupart des branches. Tu es dans une forêt Minuscule et ce n'est pas la seule en Angleterre.

– Puis-je jeter un coup d'œil ? demanda Petit Louis.

— Bien sûr, bien sûr, répondit le vieux Minuscule. Approche-toi de cette fenêtre.

Il lui désignait celle qu'il venait de franchir. Petit Louis plaça un œil contre l'ouverture, pas plus grande qu'un timbre-poste. Il aperçut une chambre éclairée par une lueur jaune pâle, meublée de chaises et d'une table miniatures, construites avec un goût exquis.

Sur le côté, il y avait un lit à baldaquin. Cela ressemblait aux pièces que Petit Louis avait vues, un jour, dans la maison de poupées, au château de Windsor.

— Magnifique ! s'exclama-t-il. Toutes les pièces sont-elles aussi jolies ?

— La plupart sont plus petites, répondit le vieux Minuscule. Celle-ci est immense parce que je suis le maître de cet arbre. Mon nom est Don Mini. Quel est le tien ?

— Petit Louis.

— Bonjour, Petit Louis, dit Don Mini. Si tu désires contempler d'autres pièces, tu es le bienvenu. Nous en sommes très fiers.

Toutes les autres familles souhaitaient
montrer leur logis au visiteur.

– Le nôtre ! Le nôtre ! criaient-elles d'une
voix pressante.

Par une fenêtre, Petit Louis aperçut une salle de bains comme la sienne mais cent fois plus petite. Par une autre, il y vit une salle de classe avec des pupitres et une table. Dans un coin de chaque pièce, un escalier menait à l'étage supérieur.

Tandis que Petit Louis passait d'une fenêtre à l'autre, les Minuscules le suivaient en groupe, souriant à ses cris d'admiration.

– Merveilleux ! C'est bien plus joli que chez moi !

Quand la visite fut terminée, Petit Louis se rassit sur sa branche.

— J'ai passé un excellent moment avec vous, déclara-t-il au peuple des Minuscules, mais comment rentrer chez moi ? Ma mère doit être folle d'inquiétude.

— Tu ne pourras jamais descendre de cet arbre, dit Don Mini. Je t'ai averti. Si tu es assez bête pour essayer, tu seras mangé en trois secondes.

— Par l'Engoulesang ? s'enquit Petit Louis. Par l'Horrifiant Engoulesang Casse-Moloch Écrase-Roc ?

— Je n'en ai jamais entendu parler. Mais

celui qui t'attend en bas est le terrible Goin-frognard cracheur de fumée rouge. Il se goinfre de tout, dans la forêt, de centaines d'humains et de milliers de Minuscules. Si nous habitons en hauteur, c'est pour nous protéger. Son nez fantastique le rend très dangereux. Grâce à lui, il peut sentir un humain, un Minuscule ou tout autre animal à dix kilomètres. Alors, il se met à galoper à toute vitesse. Il ne voit jamais ce qu'il y a devant lui à cause de la fumée qu'il crache par le nez et la gueule, mais cela ne le gêne pas. Son nez lui dit exactement où aller.

— Pourquoi crache-t-il toute cette fumée ? demanda Petit Louis.

— Parce qu'il a un feu brûlant dans le ventre, expliqua Don Mini. Quand il engloutit de la viande crue, elle rôtit dans son ventre. Il adore la viande grillée.

— Goinfrognard ou pas, je dois rentrer, dit Petit Louis. Et vite.

— N'essaie pas, je t'en prie, supplia Don Mini. Le Goinfrognard sait où tu es, il

t'attend en bas. Si tu descends avec moi, je te le montrerai.

Le vieil homme dégringola agilement le long du tronc d'arbre tandis que Petit Louis descendait prudemment à sa suite. Bientôt, au-dessous d'eux, ils commencèrent à sentir le souffle répugnant du monstre. La fumée rouge orangé enveloppait les branches basses d'épais nuages.

– A quoi ressemble-t-il ? chuchota Petit Louis.

– Nul ne le sait, répondit Don Mini. Avec cette fumée ! Si l'on se trouve derrière lui, on peut parfois entrevoir des petits bouts. Certains Minuscules disent avoir vu ses énormes pattes noires et poilues, qui ont la forme de pattes de lion, mais dix fois plus grandes. On prétend qu'il a une tête de crocodile avec des rangées et des rangées de dents pointues. En fait, personne ne sait vraiment. En tout cas, il doit avoir des naseaux gigantesques pour cracher toute cette fumée !

Immobiles, ils écoutaient le Goinfrognard gratter la terre de ses sabots géants, au pied de l'arbre, avec des grognements affamés.

– Il te sent, dit Don Mini. Il sait que tu n'es pas loin. Il t'attendra éternellement. Il adore les humains, comme toi les fraises à la crème, et il n'en attrape pas très souvent. Il a fait un régime de Minuscules pendant des mois, mais mille Minuscules ne représentent même pas un casse-croûte pour cette bête vorace.

Petit Louis et Don Mini escaladèrent l'arbre à nouveau pour rejoindre les autres Minuscules. Ceux-ci se réjouirent de voir le garçon sain et sauf.

– Reste avec nous ! s'écrièrent-ils. Nous nous occuperons de toi.

A cet instant, une ravissante hirondelle bleue se posa sur une branche, à proximité d'eux. Une mère Minuscule et ses deux enfants montèrent sur son dos, comme si c'était tout naturel.

L'hirondelle s'envola, ses passagers confortablement installés entre ses ailes.

– Est-ce une hirondelle apprivoisée ? demanda Petit Louis.

– Pas du tout, répondit Don Mini. Les oiseaux, nos amis, nous aident à nous déplacer. Cette dame conduit ses enfants chez leur grand-mère qui habite une autre forêt, à soixante kilomètres. Ils arriveront en moins d'une heure.

– Peut-on parler aux oiseaux ? demanda Petit Louis.

– Bien sûr. Nous les appelons quand nous voulons aller quelque part. Sinon, comment irions-nous aux provisions ? Nous ne pouvons pas nous risquer dans la forêt, à cause du Goinfrognard.

– Les oiseaux aiment-ils vous aider ?

– Ils feraient n'importe quoi pour nous. Ils nous adorent et nous les adorons aussi. Nous stockons la nourriture à l'intérieur des arbres pour qu'ils ne meurent pas de faim en hiver.

Soudain, une nuée d'oiseaux de toutes sortes se posèrent sur les branches de l'arbre, près d'eux, et des bandes de Minuscules, portant un sac en bandoulière, grimpèrent sur leur dos.

– A cette heure-ci, ils vont faire des courses, expliqua Don Mini. Tous les adultes aident à trouver de la nourriture pour la communauté. La population de chaque arbre est autonome. Nos arbres sont comme vos villes et nos petits arbres comme vos villages.

non plus. Il t'aura attrapé avant que tu n'arrives à dix mètres.

— Vous avez dit qu'il ne voit pas devant lui parce qu'il crache trop de fumée ?

— C'est vrai. En quoi cela va-t-il nous aider ? Comment tombera-t-il dans le lac ? Il ne sort jamais de la forêt.

— Je crois savoir comment, dit Petit Louis. Quel oiseau serait assez gros pour me porter ?

— Tu es un tout petit garçon, dit Don Mini après un instant de réflexion. Un cygne te porterait facilement.

— Appelez un cygne, décréta Petit Louis avec une soudaine autorité.

— Mais… bredouilla Don Mini, j'espère que tu ne tenteras rien de dangereux.

— Écoutez-moi bien, reprit Petit Louis, parce que vous aurez à expliquer au cygne ce qu'il devra faire. Quand j'aurai grimpé sur son dos, il volera près du Goinfrognard. Le monstre me sentira sans me voir à cause de la fumée. Le cygne s'approchera de lui puis reculera. Ce sera le supplice de Tantale. Est-ce réalisable ?

– Tout à fait, répondit Don Mini. Mais tu risques de tomber, tu n'as pas l'habitude de chevaucher un oiseau !

– Je m'accrocherai bien. Alors, le cygne, toujours volant bas, traversera la forêt, le vorace Goinfrognard à ses trousses, rendu fou par mon odeur. A la fin, l'oiseau survolera le lac, et le monstre, qui le suivra au galop, se jettera à l'eau !

– Tu es génial mon garçon ! s'écria Don Mini.

– Appelez le cygne ! ordonna Petit Louis.

Don Mini se tourna vers un des rossignols qui revenait juste d'effectuer un vol d'entraînement avec un petit Minuscule.

Petit Louis l'entendit gazouiller quelque chose mais il ne comprit mot. L'oiseau inclina la tête et s'envola.

Un instant plus tard, un cygne splendide, blanc comme neige, arriva en piqué et atterrit sur une branche, à proximité. Don Mini le rejoignit et se mit encore à discuter en gazouillant tandis que le cygne opinait de la tête. Cette fois-ci, la conversation dura un peu plus longtemps.

– Il trouve l'idée extraordinaire ! s'écria Don Mini en se tournant vers l'enfant. Il s'inquiète seulement un peu que tu n'aies jamais volé. Il insiste pour que tu t'accroches solidement à ses plumes.

— Bien sûr, approuva Petit Louis. Je ne veux pas finir rôti dans le ventre du Goinfrognard.

Sur ce, il sauta sur le dos du cygne. De nombreux Minuscules revenaient du marché sur leurs oiseaux, les sacs pleins de provisions. Rassemblés sur les branches, ils regardaient avec étonnement ce petit humain qui se préparait à s'envoler sur un cygne.

— Au revoir, Petit Louis ! criaient-ils. Et bonne chance !

Le grand cygne déploya ses ailes et s'envola doucement à travers les nombreuses branches de l'arbre. Oh ! comme c'était grisant de voler sur ce bel oiseau et de sentir le vent vous fouetter le visage ! Petit Louis s'accrochait solidement aux plumes.

Brusquement, au-dessous, il aperçut le nuage de fumée et de vapeur rouge orangé que crachaient les naseaux de l'épouvantable Goinfrognard. Petit Louis réussit à distinguer l'ombre énorme du monstre.

Excité par l'odeur de l'enfant, celui-ci haletait, WAHOUSH-WAHOUSH ! WAHOUSH – WAHOUSH ! WAHOUSH-WAHOUSH ! WAHOUSH - WAHOUSH ! Avançant, reculant, le cygne excitait la bête, l'esquivant à chaque assaut. La forêt entière résonnait de grognements et de halètements. WAHOUSH-WAHOUSH ! WAHOUSH-WAHOUSH !

Le cygne se retourna pour vérifier que tout se passait bien pour son passager. Petit Louis lui adressa un signe de tête en souriant et il eut l'impression que l'oiseau lui répondait de même.

Enfin, le cygne décida que le harcèlement avait assez duré. Il fit demi-tour et se dirigea droit vers la lisière de la forêt, suivi par le nuage de fumée. Il volait bas, se frayant un chemin à travers les arbres, toujours devant le Goinfrognard.

L'animal songeait sans doute qu'au train où il galopait, il finirait par attraper son repas. Ils arrivèrent à la lisière de la forêt où s'étendait le lac. Derrière, le monstre, dévorant la route, ne s'intéressait qu'à l'appétissante odeur de l'humain convoité.

Le cygne s'élança vers le lac et vola au ras de l'eau. En se retournant, Petit Louis vit le terrible Goinfrognard cracheur de fumée rouge orangé plonger dans le lac qui se mit à bouillonner et à fumer comme un volcan.

Puis le feu s'éteignit et l'épouvantable bête disparut sous les vagues. Quand tout fut fini, le cygne s'éleva dans les airs et tournoya au-dessus du lac. Soudain, le ciel entier fut rempli d'oiseaux qui transportaient des Minuscules sur leur dos. Petit Louis reconnut Don Mini sur un beau geai, qui agitait les bras et applaudissait.

On aurait dit que tous les Minuscules du grand arbre s'étaient donné rendez-vous pour constater la fin du redoutable Goinfrognard.

Les oiseaux volaient en cercle autour de Petit Louis et du cygne tandis que les Minuscules applaudissaient et criaient de

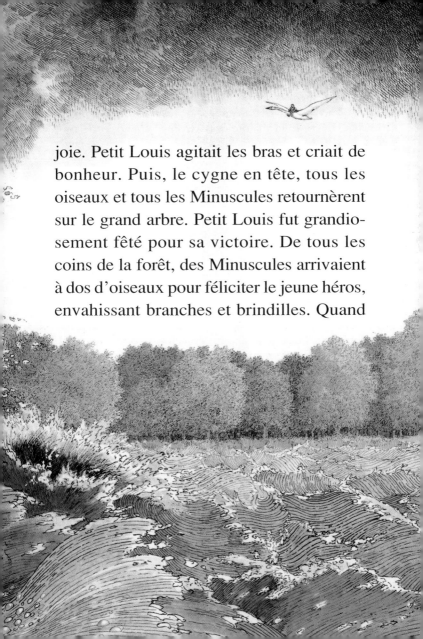

joie. Petit Louis agitait les bras et criait de
bonheur. Puis, le cygne en tête, tous les
oiseaux et tous les Minuscules retournèrent
sur le grand arbre. Petit Louis fut grandio-
sement fêté pour sa victoire. De tous les
coins de la forêt, des Minuscules arrivaient
à dos d'oiseaux pour féliciter le jeune héros,
envahissant branches et brindilles. Quand

les applaudissements cessèrent, Don Mini se leva pour faire un discours.

— Peuple des Minuscules, s'écria-t-il en élevant la voix, l'immonde Goinfrognard, qui a englouti tant de milliers des nôtres, a disparu à jamais ! Nous pouvons enfin marcher en sécurité sur le sol de la forêt. Aussi maintenant allons-nous cueillir à l'envi myrtilles, clindilles, lutilles, ordilles, clignotilles et pifilles. Toute la journée, nos enfants joueront parmi les fleurs sauvages.

Don Mini s'arrêta et leva les yeux sur Petit Louis, assis sur une branche, non loin de lui.

— Et qui devons-nous remercier pour ce grand bonheur ? reprit-il. Qui est le sauveur des Minuscules ? Notre héros, notre providence, vous le savez, c'est un enfant qui nous a rendu visite, Petit Louis !

— Hourra pour Petit Louis ! hurla la foule.

A présent, Don Mini s'adressait directement au garçon :

— Mon petit, tu as accompli un acte extraordinaire. En échange, nous voulons faire

quelque chose pour toi. J'ai parlé à Cygne… il accepte volontiers de te servir d'hélicoptère privé tant que tu ne pèseras pas trop lourd sur son dos.

(Applaudissements. Cris de : « Bravo, Cygne ! Idée de génie ! »)

— Cependant, continua Don Mini, tu ne pourras pas voler en plein jour. Des humains t'apercevraient forcément. Tu serais obligé de révéler notre existence, ce qui ne doit jamais arriver, sinon des foules d'énormes humains envahiraient notre forêt bien-aimée pour nous chercher. Nous n'aurions plus la paix.

— Je ne dirai rien à personne ! protesta Petit Louis.

— De toute façon, dit Don Mini, nous ne pouvons pas prendre le risque. Mais, toutes les nuits, dès que tu auras éteint la lumière de ta chambre, Cygne viendra à ta fenêtre te proposer une promenade. Quelquefois il t'emmènera chez nous, d'autres fois il te conduira dans des endroits merveilleux dont tu n'as même pas idée. A présent, aimerais-tu qu'il te raccompagne chez toi ? Nous pouvons nous permettre un petit voyage de jour.

– Mon Dieu ! s'exclama Petit Louis. J'avais complètement oublié. Maman doit être paniquée. Il faut que je parte !

Au signal de Don Mini, Cygne atterrit sur l'arbre. Petit Louis grimpa sur son dos ; l'oiseau déploya les ailes et s'envola tandis que les applaudissements des Minuscules crépitaient dans toute la forêt.

Cygne atterrit sur la pelouse de Petit Louis qui sauta à terre. Il courut jusqu'à la fenêtre de la salle à manger qu'il escalada tranquillement. La pièce était vide. De la cuisine sa mère lui demanda :

– Que fais-tu, Petit Louis ? Tu es silencieux depuis un bon moment.

– Je suis sage, maman, répondit l'enfant. Très sage.

La mère entra dans la pièce, une pile de linge à repasser dans les bras.

– Qu'est-ce que tu as fabriqué ? s'écria-t-elle. Tes habits sont absolument dégoûtants !

– J'ai grimpé aux arbres, répondit Petit Louis.

– Si tu ne fais pas attention, tu risques de tomber et de te casser le bras, lui dit sa mère. Ne recommence pas.

– D'accord, dit Petit Louis avec un sourire. Je volerai dans les branches sur des ailes d'argent.

– Quelles bêtises !

Et la mère sortit avec son linge.

A partir de ce jour, Cygne vint chercher Petit Louis toutes les nuits, après que les parents partaient se coucher. L'enfant n'était jamais endormi. Bien éveillé, il attendait ce moment avec impatience. Auparavant, il vérifiait que les rideaux étaient bien tirés et que la fenêtre était grande ouverte pour que l'oiseau puisse atterrir près de son lit. Alors il enfilait sa robe de chambre, sautait sur le dos du cygne et ils s'envolaient tous les deux vers cette vie secrète. Ils pénétraient dans le monde magique du silence, planant au-dessus de la terre pendant que les hommes dormaient.

Une nuit, Cygne vola plus haut que d'habitude et ils aperçurent un énorme nuage qui brillait d'une lumière d'or pâle. Dans ce moutonnement, Petit Louis discerna des créatures inconnues. Qui étaient-elles ?

Il mourait d'envie de questionner Cygne mais il ne parlait pas le langage des oiseaux. De toute évidence, Cygne ne désirait pas se rapprocher de ces créatures d'un autre monde qui demeurèrent inaccessibles.

Une autre nuit, l'oiseau traversa le ciel pendant, sembla-t-il, des heures et des heures, pour arriver à une gigantesque ouverture à la surface de la terre.

Il décrivit lentement des cercles au-dessus de ce cratère puis pénétra à l'intérieur. Au bout du long tunnel brillait une lumière qui évoquait celle du soleil. Petit Louis aperçut un immense lac bleu et, à la surface, des cygnes blancs glissaient doucement.

Le spectacle était splendide.

Petit Louis se demanda si c'était le lieu de rendez-vous secret des cygnes du monde entier ; il aurait aimé poser la question à Cygne.

Mais, parfois, les mystères sont plus excitants que les explications. Comme les créatures du nuage doré, les cygnes du lac bleu restèrent une énigme.

Environ une fois par semaine, Cygne conduisait Petit Louis jusqu'au vieil arbre de la forêt où il rencontrait les Minuscules.

– Tu grandis bien vite, lui dit Don Mini lors d'une visite. Je crains que bientôt tu ne sois trop lourd pour le cygne.

– Je sais, dit Petit Louis.

– C'est notre plus gros oiseau, continua

Don Mini. Quand il ne pourra plus te porter, j'espère que tu viendras quand même nous voir.

— Bien sûr ! s'écria Petit Louis. Je ne vous oublierai jamais !

— Et si certains d'entre nous te rendaient visite en secret ? proposa Don Mini avec un sourire.

— Vraiment ?

— Nous pourrions nous glisser dans ta chambre, sans bruit, et faire une fête à minuit !

— Mais comment grimperez-vous à la fenêtre ?

— As-tu oublié nos bottes ventouses ? Nous marcherons tout simplement sur le mur de ta maison !

— Merveilleux ! s'écria le petit garçon. Et nous pourrons nous rendre visite chacun à notre tour !

— Exact ! dit Don Mini.

C'est ce qui advint.

Ainsi Petit Louis eut-il une vie passionnante, et aucun enfant ne garda aussi fidèlement un grand secret.

Je me suis d'ailleurs bien gardé de vous révéler l'endroit où vivent les Minuscules. Mais si, par un hasard extraordinaire, en vous promenant dans la forêt, vous aperce-

vez un Minuscule, retenez votre respiration et remerciez votre bonne étoile : jusqu'à présent, aucun être humain n'en a vu, à part Petit Louis.

Observez bien les oiseaux qui volent dans le ciel. Qui sait, peut-être apercevrez-vous une minuscule créature perchée sur un moineau ou un corbeau.

Regardez bien le rouge-gorge qui vole toujours bas… vous pourrez voir, sur son dos, un jeune Minuscule, un peu inquiet de sa première leçon de vol.

Et, surtout, ayez bien les yeux ouverts sur le monde entier, car les plus grands secrets se trouvent toujours aux endroits les plus inattendus.

Ceux qui ne croient pas à la magie ne les connaîtront jamais.

Roald Dahl est né au pays de Galles, en 1916,
de parents fortunés d'origine norvégienne. Avide
d'aventures, il part pour l'Afrique à dix-huit ans
et travaille dans une compagnie pétrolière, avant
de devenir pilote à la Royal Air Force pendant
la Seconde Guerre mondiale. Il échappe de peu à
la mort – son appareil s'étant écrasé au sol – et se met
à écrire… mais c'est seulement en 1961, après avoir
publié pendant quinze ans des livres pour les adultes,
qu'il devient écrivain pour la jeunesse avec *James et
la Grosse Pêche*. D'autres chefs-d'œuvre ne tarderont
pas à suivre parmi lesquels *Charlie et la chocolaterie*,
Le Bon Gros Géant, *Fantastique Maître Renard*…
Ses livres ont été traduits dans plus de trente-cinq
langues. Depuis sa mort, en novembre 1990, Felicity,
sa femme, gère la fondation Roald Dahl, qui se
consacre à des causes chères à l'écrivain : la dyslexie,
la neurologie, l'illettrisme et l'encouragement
à la lecture, d'ailleurs l'un des thèmes essentiels
de *Matilda*, son dernier roman, paru en 1988.

Patrick Benson est né en 1956 en Angleterre.
Après des études de dessin à Florence, en Italie,
puis à la St Martin's School of Art à Londres,
il commence par travailler dans le milieu de la
mode puis se lance dans l'illustration d'ouvrages
pour enfants. Il est récompensé en 1984 par le
prix britannique du meilleur nouveau talent de
l'année. Depuis, il n'a cessé d'illustrer des livres
pour la jeunesse, ses propres textes et ceux
d'auteurs célèbres. Il utilise pour ses dessins la
technique des hachures croisées à l'encre et
colore l'ensemble au lavis. Patrick Benson vit
aujourd'hui dans le Somerset en Angleterre.